Finland Family Style

Tuula Pöyhönen and Mikko Männistö

Introduction

フィンランドに飛行機が近づくと、見えてくる
深い緑の森と、そのあいだでキラキラ輝く湖の水面。
森の中から、ムーミン・トロールたちが
こちらにむかって、手を振ってくれそう……。
そんなファンタジーな空想をしてしまうほど
不思議な魅力にあふれる、森と湖の国フィンランド。

ヘルシンキは、海辺の街。首都にも関わらず
「のんびり」「ゆったり」が似合います。
すいすいと気持ちよさそうに頭の上を飛んでいく、
かもめたちについて、ヘルシンキをあちこち歩き、
たくさんのアーティスト家族と出会うことができました。

すこしのあいだですが、家族の時間におじゃまして、
子どもたちがしたいこと、興味を持っていることを
のびのびとマイペースに取り組む様子を
そっと、おだやかに見守るパパとママのあたたかさに
触れることができました。
そのやさしさは、ヘルシンキを囲む、青い海のように、
フィンランドを包む、緑の森のように……。

シャイで、あたたかい笑顔のみんなにKiitos（ありがとう）！

ジュウ・ドゥ・ポゥム

Contents

Jesper Vuori and Veera Kulju
イェスペル・ヴオリ&ヴェーラ・クルユ
creative director and designer 68

Outi Martikainen and Teemu Lehto
オウティ・マルティカイネン&ティーム・レフト
textile designer and IT manager 74

Emilia and Teemu Suviala
エミリア&ティーム・スヴィアラ
psychologist and designer, founder Kokoro & Moi 80

Sanna and Jonathan Mander
サナ&ヨナタン・マンダー
graphic designer, illustrator and writer 86

Hanna Sarén and Jussi Tiilikka
ハンナ・サレン&ユッシ・ティーリッカ
fashion designer and business manager 94

Jonna and Marko Vuokola
ジョナ&マルコ・ヴオコラ
journalist and photographer, artist 100

Laura Riihelä and Timo Hämäläinen
ローラ・リーヘロー&ティーモ・ハマライネン
photographer and art director 106

Helsinki Guide
ヘルシンキガイド 113

Mari Talka and Mikko Summanen

マリ・タルカ＆ミッコ・スンマネン

fashion designer and architect

Lilja and Mirjam

リリヤ＆ミリヤム

2 girls / 6 and 2 years old

リリヤちゃんの６歳のバースデーパーティのために
リビングの壁に、家族みんなで作った大きな木。
グリーンに、ピンク、オレンジとカラフルな画用紙を
葉っぱの形に切って、枝に貼り付けていきます。
子どもたちの大好きな『ロビンフッド』の物語に出てくる
シャーウッズの森の中の木をイメージして……。
妹のミリヤムちゃんも、葉っぱを手にしてワクワク。
ふたりともソファにのぼって、背伸びをしながら
夢中になって、葉っぱを飾り付けています。

ハンドクラフトの大きな木の下で過ごす、家族の時間

ヘルシンキの中心地と港にはさまれたクルーヌンハカ地区に暮らすリリヤちゃんとミリヤムちゃん。ママのマリさんはファッションデザイナー、パパのミッコさんは個人住宅をはじめ、学校や病院など公共の施設を手がける建築家です。4人が暮らすのは、もともと市の職員のために1952年に建てられたアパートメントで、いまでは小さな子どものいる家族がたくさん暮らしています。広々とした玄関ホールのスペースをいかしてパパがデザインした本棚を置くなど、自分たちで暮らしやすい形にリノベーションした機能的で落ち着きのある空間です。

左：誕生日のためのデコレーションとして作った大きな木は、パパとママもお気に入りで、しばらくこのまま残すことに。右上：「マリメッコ」のテキスタイル「カルテイッラ」のテーブルクロスの上に、シャクヤクの花を飾って。右下：ケーキセットのおもちゃは、女の子たちのお気に入りのひとつ。

左上：インテリア誌「フォーラム」を置いた茶色いソファーは、いちばん最近手に入れた家具。右上：おままごとに欠かせない食器とトレー。左中：女の子たちは本が好きなので、読書は家族みんなの楽しみのひとつ。左下：アルテック社のベビーチェアに、ママがクッションを取り付けました。右下：日本に留学していたことがある、お料理好きなパパ。家族でお寿司パーティをすることも。

左上：フィンランドで活躍する建築家たちを紹介した本に掲載されたパパたちの会社「K2S」。
右上：コレクションしているガラス器と一緒に、家族の写真を飾ったコーナー。左下：パパとママのベッドルーム。ベランダでは桜を育てているのだそう。右中：100年以上前にパパのひいおじいさんが作った、ゆりかごベッド。右下：ママがパパにプレゼントしたイームズのLCMチェア。

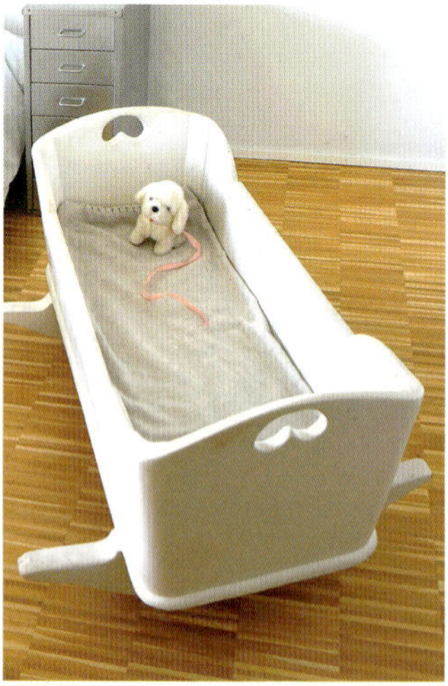

リリヤちゃんとミリヤムちゃんの子ども部屋。パパとママそれぞれ海外出張に行くことも多いので、さまざまな国から持ち帰った雑貨やおもちゃが並びます。

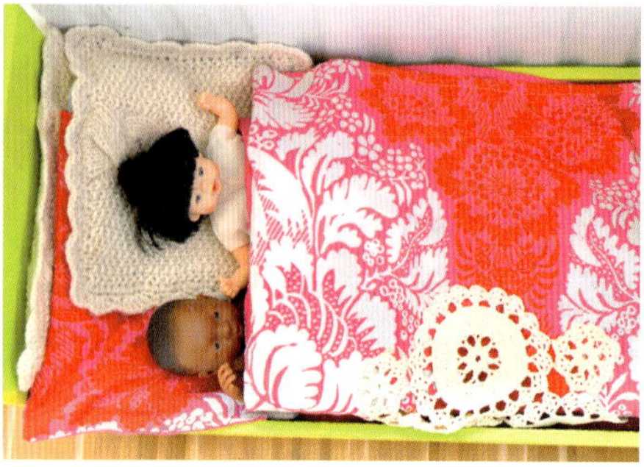

左上：おじさんが作ってくれたお人形用のベッド。右上：2009年から作りはじめた手づくりの本。リリヤちゃんが作った物語をパパが書き留めて、リリヤちゃんがイラストを添えます。左下：ドアにかけたドレスは、ママが子どものころに着ていたもの。右中：パパの思い出のセーラーシャツ。右下：保育園から贈られた、誕生日プレゼントのカードボード製のお城。

左上：ミリヤムちゃんのベッドの上には、「マリメッコ」のクッションとお気に入りのクマのぬいぐるみ。左中：ママが子どものころ大好きだったという、きのこ型スツールの復刻版。右上：ママがデザインした桜の木型の黒板で、ふたりはお絵描きに夢中。左下＆右下：リリヤちゃんが保育園に出かけると、お部屋に残ったミリヤムちゃんはムーミンハウスで遊びはじめました。

Ada Bergroth and Antti Routto

アーダ・ベルグロス＆アンッティ・ロウット
scholar of sociology and communication consultant

Touko　トウコ

boy / 2 years old

ヘルシンキ周辺の小さな島で、拾い集めた
小石や木の棒が、宝物というトウコくん。
「お洗濯のたびに、ポケットからころころ出てくるの」
ママは笑いながら、教えてくれました。
毎日のように遊ぶおもちゃは、「ブリオ」の木の電車。
パパやママとお出かけするときに、いつも使う
トラムは、この街に欠かせない乗り物。
線路に面している子ども部屋の窓から、
トラムが行き来する姿を見るのもお気に入りです。

おだやかで、あたたかな愛情いっぱいのインテリア

いまお腹の中にベビーがいるアーダさんは、社会科学部の研究生。そして同じく大学に通いながら広告のコンサルタント会社で働くアンッティさん。一家はトウコくんが生まれた年に、このアパートメントに引っ越してきました。すぐ近くにはカッリオ地区の住人たちの憩いの場所で、クマの銅像が目印のクマ公園があるので、家族でよく遊びにいきます。ママのお姉さんでデザイナーとして活躍するリンダさんが手がけた室内は、バランスのとれた美しい空間。トウコくんのために愛情たっぷりのスペシャルな雑貨もデザインしてくれました。

左：家型トランクから動物フィギュアを選ぶトウコくん。右上：お昼寝用ブランケットはパリの「ボンポワン」で。お気に入りのぬいぐるみは、フィンランドのブランド「Aarrekid」のふくろう。右下：ヴァップおばさん手編みのウールソックスは、冬のあいだトウコくんの足をあたたかく包みます。

左上：好奇心旺盛なトウコくん。左中：アテネみやげのピノキオ人形と、フィンランド南部の町ポルヴォーで見つけたうさぎと小さな太鼓。右上：1900年代初頭に作られたベッドの下に敷かれたビスケット型ラグは、リンダさんのデザイン。左下：練習用の自転車「ライク-ア-バイク」の前に、お気に入りの靴を並べて。右下：長年、フィンランドの子どもたちに読み継がれてきた絵本シリーズ。

左上：1歳、そして2歳の誕生日ケーキを飾った写真付きピックを、その年に植えたハーブの鉢に。ハーブの水やりは、トウコくんの役目。右上：ムーミンのプレートは「アラビア」のもの。左下：トラムが通るのを、パパと一緒に見送ります。右中：日常の風景がおさめられたアルバム。右下：コンスタンチン・グルチッチのデザインしたイスの上には、小さなおもちゃを持ち歩くときに便利な「ボンポワン」のバッグ。

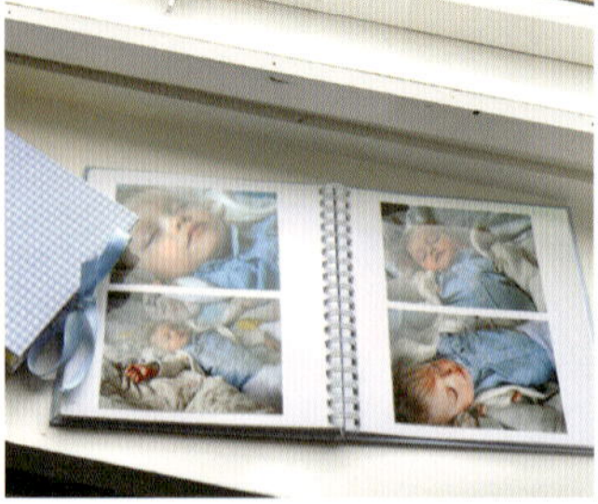

リビングに置いたテントはパリで見つけたもので、インディアンごっこの
舞台になります。「エルッキ」の木馬は、おじいちゃんからのプレゼント。

Suvi and Risto Huttunen

スヴィ＆リスト・フットゥネン

architects

Siiri, Hugo and Hilda

シーリ＆ヒューゴ＆ヒルダ

2 girls and 1 boy / 11, 7 and 2 years old

お日さまの光がさんさんと降り注ぐウッドデッキのテラス。

大きな松の木の向こうには、青い海が広がります。

このテラスに、ビニールプールを出して、

水遊びするのが、家族のいちばんのお楽しみ。

いちばん小さなヒルダちゃんは、水が大好き。

ヒューゴくんに、シャワーをかけてもらって

シーリちゃんから浮き輪を受けとって、大はしゃぎ。

元気に楽しく遊んだあとは、お昼寝タイム。

家族の笑顔があふれる、夏の午後のひとときです。

光と自然と、心地よいものを集めたファミリーハウス

海に囲まれたクロサーリはもともと別荘地だった小さな島。フットゥネン家が暮らす家族向けの3軒の家が連なるこの建物は、建築家として活躍するスヴィさんとリストさんが自らデザインしました。地上階にはバスルーム、明るい光がたくさん入ってくる2階にキッチンとリビング、そして3階に子ども部屋や寝室を作りました。ウッドデッキのテラスにつながる寝室からの眺めは、何にも変えがたい宝物というパパとママ。シーリちゃんとヒューゴくんの子ども部屋は、大きな窓から近所の子どもたちが遊びにくる広場が見渡せる開放的な空間です。

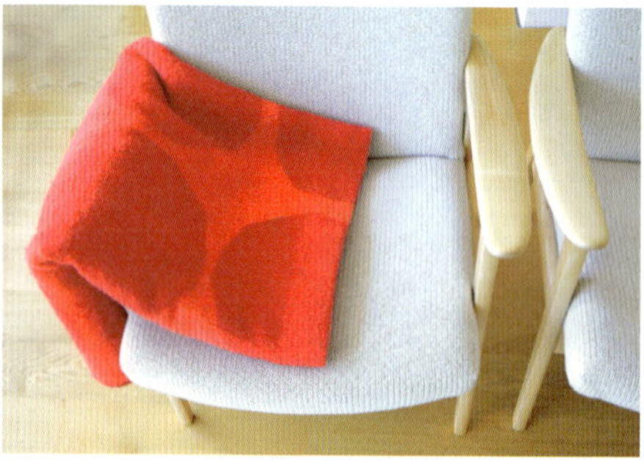

上：ヒルダちゃんがお昼寝するベッドは、ママのデザイン。パパとママのベッド下から引き出して使います。左下：フィンランドのASKO社の50年代のひじ掛けイスにかけた、赤いブランケットは「マリメッコ」のもの。右下：フィンランドのおもちゃメーカー、ユッカ社の木馬。

左上：ヨットハーバーが多いこの島に暮らすようになって、セーリングも家族の楽しみのひとつに。
右上：ユッカ社の木製のパズルは、昔からフィンランドで親しまれてきたおもちゃ。左中：ヒルダちゃんのおでかけトランクを置いたミニベンチは、ママのひいおばあちゃんたちが結婚式のときに使ったもの。
左下：「スヴェンスクテン」の生地でカバーリングしたイス。右下：週に二度、家族で楽しむサウナ。

左上：オーク材とステンレスを素材に、すっきりとした一体型にデザインしたキッチン。右上：お昼寝から起きたヒルダちゃんは、さっそくお食事タイム。右中：パパがグリルしたコーンとチキンをブルーチーズのソースでいただきます。左下：フルーツボウルの下のトレーは、アイノ・アアルトのデザインしたモチーフ。右下：「アラビア」のパラティッシ・シリーズの食器セット。

キッチンからつながるウッドデッキテラスには、大きなダイニングテーブルを置いて、夏のあいだバーベキューや食事を楽しみます。

左上：いつかパパとママのような建築家になりたいという、シーリちゃんはいま日本のマンガに夢中。お手本を参考に上手にキャラクターを描きます。右上：ヴィトラ社の「ハング・イット・オール」に、お気に入りのアクセサリーやバッグをかけて。右中：3歳のときの誕生日プレゼントのドールハウス。左下：プラハみやげのトローリーはお人形のベッドに。右下：セーリングのときの写真を飾って。

左上：ナーンタリにあるムーミンワールドで仕事をしていたときにママが描いた、ポスター用のドローイング。右上：ヴィトラ社のふくろう型時計は、ジョージ・ネルソンのデザイン。左中：ヒューゴくんが赤ちゃんのときにかわいがっていたぬいぐるみが、いまでもベッドに。左下：「レゴ」の飛行機が着陸したのは、ママが子どものころ使っていたアルテック社のイスの上。右下：ベッドやデスクも、パパとママのデザイン。

Maija Louekari and Kasper Strömman

マイヤ・ロウエカリ＆カスパー・ストローマン

textile designer, illustrator and illustrator

Stella　ステラ

girl / 2 years old

子どものためのデザインや雑貨が、カラフルにあふれる
ハッピーなインテリアが好きという、パパとママ。
ステラちゃんの部屋を、まだ作っていないかわりに
ベッドルームやリビングの一角に、子どもコーナーを。
おもちゃも、インテリアのひとつとして溶け込んでいます。
家具やおもちゃは、ヴィンテージのものばかり。
ステラちゃんが遊ぶ木馬は、セカンドハンドショップで
ママが見つけた、ソビエト時代のロシアのもの。
ぬくもりある、やさしい雰囲気がお気に入りです。

PiPPi

モチーフや色がキラキラ反射しあう、ハッピーワールド

イラストレーターで「マリメッコ」のプリント・デザインも手がけるマイヤさんと、イラストレーターとして活躍するカスパーさん。そしてステラちゃんの3人は、夏至祭に大きなパーティが開かれることで知られるヴァッリラ地区に暮らしています。ライトブルーやピンクなどパステルカラーの外壁のアパートメントが建ち並ぶ、この界隈に一家は半年前に引っ越してきたばかり。清潔感のある白い空間の中、ママがデザインしたファブリックやパパのイラストがあちこちに。さまざまな色や柄が重なりあう、イマジネーション豊かな世界です。

左：カーテンは、植物の芽をダイナミックにデザインしたママの作品「ヌップ」。カバのぬいぐるみが置かれた白いイスは、くるくる回るのでステラちゃんのお気に入り。右上：ママのスケッチを壁にコラージュ。右下：のみの市で見つけたぬいぐるみ。2匹のうさぎは、ステラちゃんの宝物。

左：パパとママは、ユーモアたっぷりに家の中にあるものやステラちゃんのことを紹介してくれました。左中：ママがデザインした「カルテイッラ」柄のトランク。右上：60年代から70年代の雑誌をストックしているコーナー。壁にはコペンハーゲン動物園のポスターを飾って。左下：のみの市で見つけたおもちゃ。右下：絵本と一緒に並べたロシアのアニメ、チェブラーシカのぬいぐるみは70年代のもの。

ママがデザインしたプリント生地で飾ったベッド・コーナーは、まるで絵本の中に出てくる森の世界。ステラちゃんのベッドは小鳥の巣のようです。

左上：黄色いカップボードは収納として大活躍。壁にはパパの次の展示会のための作品。右上：時計柄のデザインテープの上に、イースターエッグを飾って。左中：ステラちゃんお気に入りの『長くつしたのピッピ』の小屋。左下：ママがデザインしたプリント柄のクッションカバー。右上：リビングにある大きなテーブルは、家でステラちゃんと一緒に過ごしながら作品を描くときのために。

左上：絵本の上に置いた「スマイリー・ラトル」は、70年代からフィンランドで親しまれているガラガラ。右上：パパが大阪で展示会をしたときの作品を飾ったコーナー。絵本はパパのお姉さんがストーリーを考え、パパが挿し絵を手がけたもの。左下：小さくて居心地のいいキッチン。右中：チャリティーショップで見つけたエプロン。右下：お気に入りのヴィンテージのグラス。

左上：ママがデザインした「プータルフリン・パルハート」のエプロンと、カツジ・ワキサカの「ブブー」のスタイ。左中：棚の中には、コレクションしているファブリックがたくさん。右上：収納棚の黄色がキッチンを明るくハッピーに。左下：エステリ・トムラのイラスト入りの60年代の鍋。右下：ママがデザインしたモチーフを使った食器類。素朴なタッチの線画が、心を和ませてくれます。

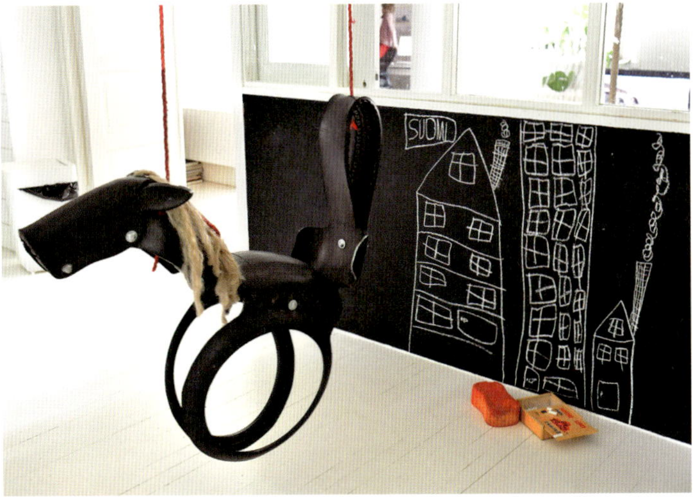

Tuula Pöyhönen and Mikko Männistö

トゥーラ・ポユホネン＆ミッコ・マンニスト

fashion designer and creative director

Mosse and Valle

モッセ＆ヴァッレ

2 boys / 7 and 4 years old

お鍋の中はなにかな？とのぞくモッセくん。
今日のランチは、フィンランドの伝統的な
サーモンのスープ「ロヒケイット」。
旬のじゃがいもと一緒に、コトコト煮込んで、
仕上げに、ディルをたっぷりかけて。
シンプルで、さわやかな風味が広がる
料理上手なママの自慢のレシピです。
ヴァッレくんは、早速スプーンを手に……。
さぁ、みんな揃って、いただきます！

クリエイティブな家族のためのモダンなファクトリー

クルーヌンハカ地区にある、19世紀に建てられたニット工場をリノベーションした赤いれんが造りの建物に暮らしているファッションデザイナーのトゥーラさんと広告会社のクリエイティヴディレクターのミッコさん。家族の住まいは1階にあり、広々としたエントランスホールを、ママの作品を扱うショップ「オンニ」としてオープン。家の中は、どこも白くペイントされ、家具も白またはシルバーで統一されています。ドアで閉ざされることない開放的な室内に、男の子たちが自由に遊ぶことができるスペースが設けられています。

上：業務用のキッチンを扱う会社のアイテムを使って、ママがデザインしたキッチン。左下：キャニスターの中には、「貧しい騎士」と呼ばれるデザート作りに使う白い豆や、ライ麦のラザーニャ・パスタなど。右下：サーモン・スープには、バターたっぷりのライ麦パンがよく合います。

左上：撮影中「今夜はコンピューターを修理しよう」とパパに電話していたモッセくん。パパの帰りを楽しみにしています。左中：青いポットカバーとコースターはのみの市で。右上：ヴァッレくんお気に入りのタイヤ素材の馬は、アメリカから。左下：キッチンとリビングを仕切る大きな黒板に、モッセくんがヘルシンキの町を描いてくれました。右下：子どものための手づくり本は、家族ぐるみで仲のいいマリさんとカティさんの共著。

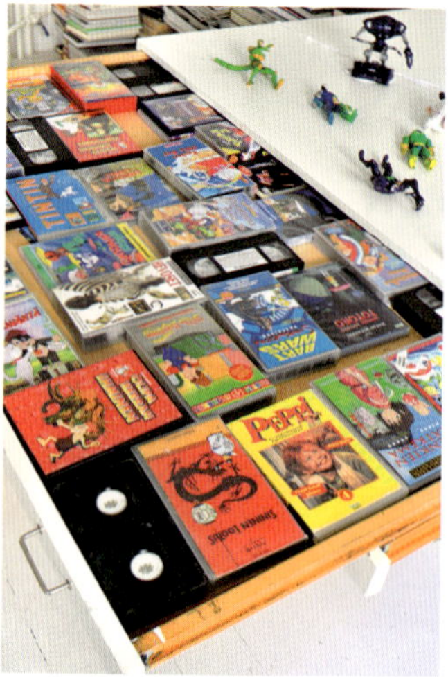

左上：大工コーナーは工作が大好きな子どもたちのために。ギャラリーで作品展を開いたこともある、モッセくんはもう立派なアーティストです。右上：幼稚園でお友だちと作ったカレンダー。右中：引き出しの中はアニメ映画のビデオでいっぱい。ヴァッレくんのお気に入りは『ハウルの動く城』。左下：配送に使われた円筒形の箱を、おもちゃの収納に。右下：のこぎりや金づちを使って作品を作ります。

いつもはトントンギコギコ、大工コーナーから、にぎやかな音が響くリビング。
ヴァッレくんがお昼寝中なので、モッセくんも本を読んで静かに過ごします。

左上：幼稚園のクラスメイトを集めて木工のワークショップをしたモッセくん。道具の名前や使い方を教えながら、この船を作りました。**右上**：かごの中には、冬に使うカーペットを入れて。ファニーな人形は、友だちからのプレゼント。**左下**：家族みんなが一緒に眠るベッドルーム。**右中**：レントゲン用のライトボックスを照明に。**右下**：パパとママの友だちがモッセくんの誕生日に作ってくれたロボット・ライト。

上：ショップスペースと住まいの境にあるママのデスク。壁にはモッセくんが描いてくれた絵がたくさん。左下：ママの作品「ラグ・ドレス」は、友だちの娘さんの誕生日プレゼントに作りはじめたのがきっかけ。右中：モッセくんが作った木製フレームと、紙袋のお人形。右下：ママが手がける「キッズ・ラグ・バッグ」は、さまざまなぬいぐるみがくっついていて、楽しい気分になるバッグ。

Maiju Salmenkivi and Aleksi Tolonen

マイユ・サルメンキヴィ＆アレクシ・トロネン

artists

Alma アルマ

girl / 4 years old

レコード、ソフトビニール人形、マトリョーシカ
ゲームウォッチ、ブリキのおもちゃなど古いオブジェを
たくさんコレクションしている、パパとママ。
アルマちゃんが暮らす、アパートメントの中は
子ども時代の宝物が詰まったトイミュージアムのよう。
アルマちゃんにも、小さな宝物がたくさん。
プリンセスやフェアリーが出てくるカードゲームに
トランクの中いっぱいの動物のフィギュアたち。
自慢のコレクションを見せてくれました。

左上：70年代の美しいハンドプリントの壁紙を貼った玄関ホールには、アーティスト仲間の作品をディスプレイ。右上：ママがアルマちゃんのために描いた「ねずみのプリンセス」。左中：のみの市で見つけたクッションをダイニングのベンチに。左下：アルマちゃんお気に入りの1冊。右下：ダイニングでおやつを食べながら、プリンセス・カードの絵柄合わせゲームを楽しみます。

アート作品やおもちゃ、家族の思い出ミュージアム

画家のマイユさんとグラフィックアーティストのアレクシさんの住まいは、冬はスケートリンク、夏は球技場として使われる運動場のすぐ近く。この運動場をはじめ、カッリオ地区にはスイミングプールや公園、パパとママが働くアトリエ、そしてセカンドハンドショップなど、家族にとって大切な場所がすべて揃っていると言います。部屋はダイニングキッチンにリビング、寝室という間取り。思い出のこもったコレクションを飾った壁や棚がいたるところにあり、どこを見ても興味深いオブジェが目に入ってくる博物館のような住まいです。

左：のみの市で探したキャニスター缶を普段使いに。ショッピングバッグはベルリンで見つけたもので、古いキッチンタオルのリメイク。右上：ストロベリーアイスに、お花型のビスケット。ガーリーなものが大好きなアルマちゃん。右下：「アラビア」のブラック・パラティッシ・シリーズの食器は、ファクトリーショップで。

左上：家族でお出かけするのは、動物園や自然史博物館。動物好きなアルマちゃんは細部までよく覚えています。左中：自分たちの作品と交換して手に入れた、フィンランドの若い画家ラウハの絵をリビングに。右上：コレクションが並ぶ棚の前に置いた、赤いイスはウルヨ・クッカプロがデザインした60年代のもの。左下：車のおもちゃはロシア製のものが多いそう。右下：パパのお気に入りが集まったコーナー。

左上：両親の寝室の奥にあるアルマちゃんのコーナーをデコレーションしたのはママ。右上：壁面を埋めつくすよう、にぎやかに飾られたママやアーティスト仲間の作品。右中：アルマちゃんが見せてくれたお気に入りのおもちゃたち。左下：くつろぎの時間に欠かせないクッションは、家族が集まる場所にたくさん並んでいます。右下：『長くつしたのピッピ』のドールハウス。

stanton
stanton
PIRKKA-PEKKA PETELIUS

Mari and Juho Martikainen

マリ＆ユホ・マルティカイネン

textile artist, founder Mifuko Oy and musician

Aino and Eeva

アイノ＆エーヴァ

2 girls / 10 and 6 years old

プロのコントラバス奏者として活躍するパパと一緒に
音楽を楽しむ、アイノちゃんとエーヴァちゃん。
アイノちゃんはフルート、エーヴァちゃんはバイオリン
ふたりとも、とても上手に演奏します。
ママが歌うのにあわせて、フィンランドで古くから
親しまれている童謡を、家族みんなで合奏。
息ぴったりに、美しいハーモニーが流れ出します。
家のすぐ向かいにある音楽学校に通うお姉ちゃん。
エーヴァちゃんも、来年からいよいよ学校です。

友だちを呼んでにぎやかに遊べる、ゆったりした一軒家

北欧デザインとケニアの伝統的なハンドクラフトをミックスした物づくりをフェアトレードで手がけるブランド「ミフコ」を友だちのミンナさんと立ち上げた、テキスタイルデザイナーのマリさん。そして音楽学校で先生を務めながら、バンド活動をするユホさん。マルティカイネン家の住まいは、ロイフヴオリ地区にあります。この建物はもともと1853年にタンペレで建てられた古いお店で、1954年にこの場所に移築されたという歴史ある建物。広々とした造りの一軒家は、まるで郊外に暮らしているような雰囲気で家族みんなのお気に入りです。

上：ダイニングテーブルの幅は3メートル！ そのサイズからも分かるとおり、ゆったりとしたリビング&ダイニング。天井はあまり高くない造りが、建物の歴史を感じさせます。左下：ママのおばあちゃんから譲り受けたコーヒーカップとガラス器。右下：安全ピンをリメイクした「ミフコ」のブレスレット。

左上：「マリメッコ」のお揃いのドレスがキュートなアイノちゃんとエーヴァちゃん。左中：玄関に飾られていたのは、庭でつんだ白い花とママの絵画。右上：フィンランドの短い夏をできるだけ長く楽しみたいと庭に作った温室。左下：子どもたちがかわいがっているハムスターのアリちゃん。右下：温室の中は、キッチンガーデン。きゅうりやかぼちゃのほか、トマトやハーブを育てています。

エーヴァちゃんの部屋の壁は、グレイッシュな水色にペイント。
壁には自分で選んだ絵をピンナップしています。

左上：アイノちゃんの部屋に吊るされたガーランドは、お友だちからもらったカードで作ったもの。右上：旅のおみやげと一緒に、いとこが生まれたときの写真を飾って。左中：馬のポスターや表彰状は、通っている乗馬クラブで。左下：1歳のときの写真をプリントしたクッション。右下：お絵描きに夢中のアイノちゃん。イスにかけたポシェットや足下のバスケットは「ミフコ」のもの。

Elina and Klaus Aalto

エリナ＆クラウス・アアルト

designers

Amos and Elis

エイモス＆エリス

2 boys / 5 and 2 years old

ボタニカル柄の壁紙で、森の中のような子ども部屋。
まんまるお月さまのように輝くランプの下には、
三角お屋根のついた、秘密基地みたいなベッド。
これは、エイモスくんとエリスくんのために、
パパとママがデザインした、特別な二段ベッドです。
ツリーハウスから、イメージをふくらませて
生まれた、このベッドにふたりの男の子も
ワクワクと冒険心が、かきたてられるよう。
おやすみの時間には、どんな夢を見るのかな？

パパとママのデザイン家具で、遊びごころたっぷりに

アアルト一家が、アルッピラ地区に引っ越してきたのは3年前。それまで新しい家をずっと探していたのですが、理想の家が見つからないでいました。しかし、このお部屋に出会ったママは、大きな窓がたくさんある造りにひとめぼれ。いつもは慎重なママが、パパに見せる前に決めてしまったのだそう！　でもママが気に入ったのと同じくらい、パパもこの部屋に大満足。窓の外には、夏はいきいきとした緑、そして冬は白い雪景色が広がります。窓辺の大きなテーブルで、子どもたちと一緒にお絵描きしたり遊んだりする時間は、しあわせなひとときです。

左：セカンドハンドショップで見つけたアルテック社のテーブルで、お絵描きにすっかり夢中のふたり。右上：ロシアからやってきたクマのおもちゃと、おじさんからプレゼントされた60年代の犬のぬいぐるみ。右下：パパがおばあちゃんにもらったロボットが、いまでは男の子たちのものに。

左上：エリスくんの大好きなバーバパパのぬいぐるみ。右上：エリスくんからお願いされて、ママが描いたムーミン。左中：家族で水泳に行くのがお気に入り。左下：クッションはママのおばあちゃんが作ってくれたもの。右下：ネットオークションで格安で見つけたソファーは、カバーを張りなおして。壁には、30年代に学校で使われていたアフリカの地図をディスプレイ。

左上：はしご式プランターは、トンフィスク社のもの。右上：フィンランド語で「天使の翼」という名前がついた大きな赤い葉っぱの植物を、みんなで植え替え中。左下：壁にはパパのデザインしたテーブルを飾って。パソコンを置いているキャビネットは、パパとママのユニット「アアルト＋アアルト」の作品。右中：おばさんから男の子たちへの贈り物。右下：ベッドサイドには『くまのプーさん』。

パパとママの部屋のロールカーテン「ベター・ヴュー」は、ママのデザイン。
東京のほかに、ヘルシンキ、パリ、ベルリン、ストックホルムがあります。

Maija Luutonen and Olli Keränen

マイヤ・ルートネン＆オッリ・ケラネン

artists

Aina　アイナ

girl / 2 years old

ちょっとシャイなアイナちゃんは、おばあちゃんが大好き。
お散歩に行ったり、ムーミンの絵本を読んでもらったり
おばあちゃんに遊んでもらうことも、しばしば。
パパとママと遊ぶときの、最近のお気に入りはお絵描き。
好きな色の絵の具を、パレットに出してもらって、
画用紙の上、思いのままにペイントしていきます。
ママが用意したガラス瓶の中で、筆をすすぐと
ぱっと色にそまる、水の様子にも興味津々。
カラフルな世界に、目を奪われているようです。

BRIO

たっぷりのお日さまの光の下ではじける、家族の笑顔

オリンピック・スタジアムが近い、ヘルシンキの中心街から少し離れたエリアに暮らすアーティストのマイヤさんとオッリさん。1939年に建てられたアパートメントの2階にあるこの部屋は、パパが子どものころ住んでいた家。ちょうどパパとママの寝室は、パパの子ども部屋だったのだそう。通りに面していて、大きな窓からたっぷりの光が差しこむメインルームが、オープンキッチンとダイニング&リビング。居心地のいいこの空間は自然と家族が集まり、食事はもちろん、お絵描きしたり遊んだり、ときにはかくれんぼをしたりすることも。

左：リビングの一角に設けられたアイナちゃんのコーナー。本棚の下のボックスに種類別におもちゃを収納。イスにかけたカーディガンは大好きなおばあちゃんの手編み。右上：パパとママにそっくりのアイナちゃん。右下：フィンランドのテキスタイルデザイナー「リンネ＆ニイニコスキ」のトートバッグ。

左上：2か月ほど住んでいたニューヨークで見つけた木製パズル。右上：リサイクル・プラスチックでできた、おままごとティーセット。左中：しゃぼん玉や水遊びグッズなど、ベランダで遊ぶときのおもちゃをドアにかけて。左下：アイナちゃんお気に入りの1冊。右下：3人がゆったり寝られるようベッドをくっつけて置いたベッドルーム。アイナちゃんはムーミンの本を眺めています。

左上：美しい色のグラデーションで並べられた「イッタラ」のピッチャーとグラス、パパとママの友だちマイヤさんがデザインした「マリメッコ」のカップも。右上：おやつに用意したノットバンとカルヤランピーラッカ。左下：キッチンには、アイナちゃんのためのおままごとキッチンも。右中：冷蔵庫に集めたマグネットの中央には、パパが子どものころの写真。右下：計量カップになっているマトリョーシカ。

「ブリオ」キッチンでクッキーを焼いて、パパとママをおもてなし中のアイナちゃん。木製の踏み台は、お皿洗いなどママをお手伝いするときのために。

Jesper Vuori and Veera Kulju

イェスペル・ヴオリ＆ヴェーラ・クルユ
creative director and designer

Vivian　ヴィヴィアン

girl / 6 months old

しっとりとした緑の中、鳥たちのさえずりが響く
しらかばの林と広い庭を抜けて、石段をあがると
モダンなログハウスにたどりつきます。
ここは、ヴィヴィアンちゃんたち家族の家。
ひいおじいちゃんが建てた、この住まいにいると
60年代の暮らしや、ひいおじいちゃんの思いを
そのまま引き継いでいる気分になるというパパ。
北欧デザインの恵みと、モダンな感覚が溶けあい
おだやかな休日のような空気に包まれます。

日曜日が待ち遠しい、のんびり過ごす朝の時間

ヘルシンキの西隣にあるエスポー市のライアラッチ地区は、中心街から車で15分ほどの距離。この街の海岸線では、さまざまな種類の海鳥たちの巣が見られます。広告会社でクリエイティヴディレクターを務めるイェスペルさん、デザイナーとして活躍するヴェーラさんの住まいは、1969年築の木造の平屋建ての一軒家。天井は低いのですが、大きく窓が取られていて、家を取り囲む緑の庭が間近に広がります。特別なイベントがなくても、この場所でのんびりした朝を迎えることができるのが、なににもかえがたい家族のぜいたくです。

上：家のまわりをお散歩。しらかばの林に緑の下草、大きな切り株がある風景は、まさに北欧のおとぎ話の世界です。左下：ポップコーンにインスパイアされてデザインしたボウルは、ママの作品。右下：書籍のアートディレクションも手がけるパパ。マーク・マヘルのアート写真集は2003年に手がけたもの。

左上：ヴィヴィアンちゃんと、ダックスフントのエラちゃんと家族みんなでポートレート。左中：ひいおじいちゃんが作った木馬。右上：おじいちゃんが住んでいたころから飾っている絵画。左下：エコ・フレンドリーなアマゾナス社の赤ちゃん用ハンモックは、お隣さんから借りているもの。右下：おばあちゃんからもらったテディベアは、「フィッシャー・プライス」のヴィンテージ。

左上：ヴィヴィアンちゃんの部屋。おもちゃはシンプルで時代に左右されない魅力のある「ブリオ」がお気に入り。右上：ママがのみの市で見つけた19世紀のベッドに、おばあちゃんが編んだベッドカバーをかけて。右中：お気に入りのパジャマとカーディガン。左下：「ブリオ」のダックスフントやピエロをはじめ、ぬくもりのある木のおもちゃたち。右下：プレイジムの下でごきげんのヴィヴィアンちゃん。

ダイニングテーブルは、パパのルーツのデンマークからやってきたもの。「アラビア」のプレートやマグ、「イッタラ」のグラスを出して、朝ごはんの準備中。

Outti Martikainen and Teemu Lehto

オウティ・マルティカイネン＆ティーム・レフト
textile designer and IT manager

Saima　サイマ

girl / 9 years old

サイマちゃんは、パパとママにとっていちばん下の女の子。
すでに独立した、4人のお兄ちゃんとお姉ちゃんがいます。
明日は、そのお姉ちゃんのひとりの卒業式の日。
フィンランドの卒業式は、女の子は白いドレスに帽子
そして街中をトラックでパレードする、盛大なイベント！
おうちでもパーティの準備をしているところです。
音楽学校に通うサイマちゃんは、バイオリンを演奏。
明日発表する「きらきら星変奏曲」をレッスン中。
その音色に耳をかたむけながら、パパとママもうっとり。

上：パパとママが座るソファーは、婚約のときにパパの両親から譲り受けたもの。バイオリンに合わせて、ふたりはダンスを披露してくれました。左中：ベルリンののみの市で見つけた人形。お香を入れると、口からもくもく煙がでてきます。左下：のみの市でひとめぼれした雑貨たち。赤いフードのお人形は靴メーカーの広告用。右下：ネコのミリと、家族の思い出の品をおさめたカップボード。

オープンで明るい家の中心は、お日さまのようなママ

テキスタイルデザイナーとして活躍するオウティさんと、ITマネージャーのティームさんが暮らすのはクルーヌンハカ地区。1913年に建てられた、フィンランドでユーゲント様式と呼ばれるアール・デコ時代のアパートメントです。リビングに両親の寝室、サイマちゃんの部屋とパパとママの仕事部屋、そして小さなキッチンの奥にはよく泊まりにくるおばあちゃんや兄弟のためのゲストルームもあります。ある部屋を出ると次の部屋というふうに、空間がつながっているユニークな造り。家族の様子が自然と伝わってくる、風通しのよい家です。

上：リビングにある本棚には、パパとママが子どものころから大切にしている本がいろいろ。左下：ママが作ったクロシェ編みのバスケットとネコ。そのうしろには、サイマちゃんのお絵描きからママが作ったジャガード織りのテキスタイル。右下：デザインのもとになった、5歳のころの作品「鳥の家族」。

右上：フィンランド東部カレリア地方の伝統にインスパイアされたママの作品。幅3メートル以上にもなるクロスで、結婚式でお祝いの席順にそれぞれのモチーフを刺しゅうして、テーブルナプキンとして使われるのだそう。左中：冷蔵庫のマグネット。左下：明日のパーティのためのルバーブケーキ。右下：キッチンの食器棚のドアは、頭を打たないようにすべて取り外して。

ライムグリーンにペイントされたサイマちゃんの部屋。二段ベッドは家族で作ったもので、眠るだけでなく、友だちとの遊び場にもなっています。

左上：『長くつしたのピッピ』のトランクの前にある彫刻は、カウスティネン村で開かれたバイオリンの演奏キャンプのときの思い出。右上：窓辺には友だちからのプレゼントや旅のおみやげを飾って。左中：アンディ・ウォーホルのポスターと、手づくりネックレス。左下：ドールハウスの中で、マトリョーシカとテディベアがおしゃべり。右下：ムーミンのスカーフと、お気に入りのバービー・ハウス。

Emilia and Teemu Suviala

エミリア&ティーム・スヴィアラ

psychologist and designer, founder Kokoro & Moi

Oiva　オイヴァ

boy / 3 years old

オイヴァくんは、子ども部屋よりも広いリビングで
おもちゃのレールを組み立てて、遊ぶのがお気に入り。
パパやママと一緒に、おしゃべりしながら、電車は
橋を渡り、トンネルをくぐり、駅を目指します。
ママが飛行機を手にしたのに気がついたオイヴァくん。
飛行機が着陸する、空港を作ってあげなきゃ！
パパとママのやわらかいベッドの上が、空港の場所。
おうち全体を使って、イマジネーションを働かせて
新しい世界を作り出して、遊ぶのが得意です。

色と色の出会いから生まれる、やさしい光のプリズム

子どものための心療科に務める心理学者のエミリアさんと、「ココロ＆モイ」というデザイン会社を友人と立ち上げたグラフィックデザイナーのティームさん。オイヴァくんと3人で暮らすカタヤノッカは、20世紀初頭アールヌーヴォーの時代に建てられた、色とりどりの建物が並ぶ美しい地域です。一家の住まいは、あたたかなイエローの外壁の建物。中庭もあって、オイヴァくんと一緒にサッカーをして遊ぶことも。室内はやわらかいトーンの色でペイントした壁面と、クリアでヴィヴィッドな色の家具との組み合わせがフレッシュな空間です。

左：ラベンダー色のパパとママの寝室にある美しい暖炉は、建築当時のオリジナル。そばにおいた蛍光オレンジのまき入れはアルテック社のもの。右上：パスタのレシピがたくさんの『ザ・リバー・カフェ・クックブック』。右下：オイヴァくんお気に入りの花柄のお皿と、生まれたときの身長や体重、時間が刻まれたスプーン。

左上：フィンランド定番のパンで、おやつタイム。**左中**：1歳の誕生日にパパとママから贈ったミニ・ギター。大きなギターはパパのお母さんが使っていたもの。**右上**：モスグリーンのリビングには、四角形のセラミック暖炉。赤いテーブルは内装を助けてくれたインテリアデザイナーのジョアンナさんのデザイン。**左下**：おばさんからプレゼントされた子ども用カトラリーセット。**右下**：カラフルなエスプレッソカップ。

左上：ヘルシンキののみの市で見つけたソフビ人形は、オイヴァくんが自分の赤ちゃんのようにかわいがっているもの。右上：パパとママが子どものころ、それぞれ1冊ずつ持っていたシリーズ本は、おやすみの時間の読み聞かせに。左下：おとぎ話のような雰囲気をもたらしてくれる木のプリント壁紙を子ども部屋に。右中：ぬいぐるみを乗せた揺りイスは、パパが子どものころ遊んでいたもの。

Sanna and Jonathan Mander

サナ＆ヨナタン・マンダー

graphic designer, illustrator and writer

Pixi　ピクシー

girl / 1 year old

じょうろで水をあげたり、スコップで土を掘ったり、
お庭の植物のお世話をするのが好きなピクシーちゃん。
家の前に広がるお庭で、パパとママと一緒に
ガーデニングをするのが、家族の楽しみのひとつ。
ライラックの木の下に見えるのは、かわいらしい小屋。
ピクシーちゃんは、この第二の子ども部屋で
お昼寝したり、友だちと遊んだり、読書したり。
この小屋の下には、うさぎさんの巣穴もあるの！
そんな、かわいい秘密も教えてくれました。

春夏秋冬の美しさや楽しさを、からだいっぱいに感じて

マンダー家が暮らすのは、ルイホラフティ・ヴィラ。交通量の多い道路に近いながらも、木のゲートの内側に入ると緑が生い茂り、1881年から90年のあいだに建てられた木造の小さな家々が列をなす静かな住宅地です。夏至祭やガレージセールなどのイベントもあって、ここに暮らす人々はすぐに仲良くなってしまいます。グラフィックデザイナーのサナさんと、「カジノ」という雑誌を仲間たちと立ち上げたライターのヨナタンさんのおうちは、ヴィラのいちばん奥。季節の移り変わりを感じることができる住まいを、家族はとても気に入っています。

左：八角形の小屋は、もともとこのお庭にあったもの。物置として使われていましたが、パパとママの手できれいに整えました。右上：妖精さんのキャンドルは、友だちからのプレゼント。かわいくて、火をつけられないそう。右下：植物のお世話と聞いて、はりきってコートを着込んだピクシーちゃん。

左上：花柄のカーテンがポエティックな窓の上には、パパが子どものころから集めている『ナショナル・ジオグラフィック』やピクシーちゃんのトランクを置いて。右上：フィンランドの伝統的なピン倒しゲーム「ムルッカ」。左中：ママのお腹の中にはベビーがいるので、その誕生が楽しみ！左下：ママが手がけた「マリメッコ」のカタログと、一点物のプレート。右下：ハンモックに揺られているうちに夢の中へ。

上：60年代のテーブルに、オリリア社の「レディーPチェア」をあわせて。壁にはヘンリー・ライトの絵画を飾っています。中：果物を入れたり、フルーツシロップを作ったり、ガラス瓶がキッチンでは大活躍。左下：ビヨルン・ウィンブラッドのデザインした花瓶。中下：「ル・クルーゼ」のカボチャ型キャセロールと「ロイヤル・コペンハーゲン」のプレート。右下：ミニサイズの本はピクシーちゃんの名前の由来にもなった北欧の子どもたちに人気の絵本シリーズ。

リズミカルな柄の「イケア」のカーペットが印象的なリビング。ソファーは40年代のもので、自分たちでカバーリングしなおしました。壁には友人たちの作品を飾っています。

左上：クリスマス・プレゼントのドレスは、おてんば娘もお姫さま気分に。左中：目やしっぽなどのパーツをママがつくろった、プードルのぬいぐるみ。右上：おなかのような形なので「ベリー・ビューロー」と呼ばれる引き出しの上にあるセラミックの犬は、ママがスウェーデンからヘルシンキに引っ越してきたときの思い出の品。左下：イラストが気に入っている絵本。右下：ベルリンで見つけた鳥のオブジェ。

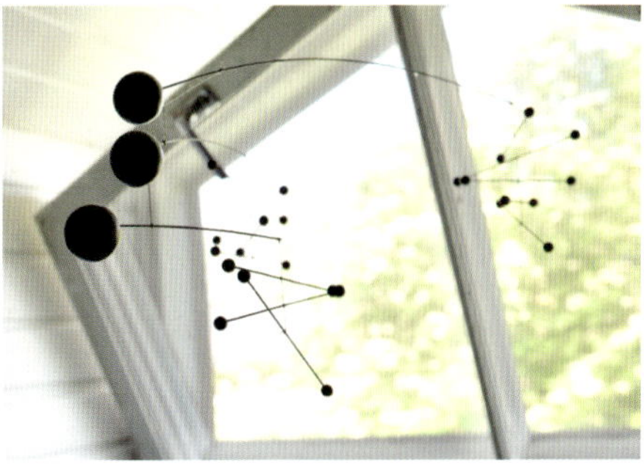

左上：ギリシャみやげの貝のランプと、ピクシーちゃんの写真。右上：デンマークのフレンステッド社のモビール。左中：フィヨルドのポスターの前には、イタリアで見つけたバスケット。左下：フィンランドの「マリメッコ」にスウェーデンの「10グルッペン」、イタリアの「ベローラ」のファブリックをミックス。右下：子ども部屋の隣りがパパとママの寝室。2階は白夜も眠りやすいように窓が少なめに。

Hanna Sarén and Jussi Tiilikka

ハンナ・サレン＆ユッシ・ティーリッカ

fashion designer and business manager

Siiri　シーリ

girl / 4 years old

ブルーのチュチュが広がる、ワンピースを着た
シーリちゃんは、まるで小さなフェアリーのよう。
ママが、ファッションデザイナーで、
名付け親のおじさんがフォトグラファーなので
おめかししたり、写真をとられたりするのが好き。
宝物は、ビーズで作ったカラフルなアクセサリー。
パパとママの海外出張についていくことも多いので
４歳ですが、たくさんの国を旅しているそう。
将来の夢はモデル？それともデザイナーかな？

左上：キッチンの窓辺には、ポルトガル、日本、アフリカなど旅の思い出の品を飾って。右上：クリスマスの贈り物として、マイアミからやってきた鳥のオブジェ。左中：アヴィニョンみやげのクッションの後ろには、ママがデザインしたピローケース。左下：パパのおじいちゃんから譲り受けたイスに、ママが刺しゅうしたカバーをかけて。右下：保育園から戻ったシーリちゃんと、おやつの時間。

古いものと新しいもの、ミックス・テイストのハーモニー

ママのハンナさんはファッションデザイナーで、パパのユッシさんと一緒にブランドを運営しています。木製のサンダルからはじまったブランドは、レディース・コレクションを中心に、メンズやキッズまで幅広く手がけています。一家が暮らすのは、オフィスビルや住宅用の建物がミックスしたカンッピ地区。1937年に建てられたアパートメントはT字型の間取りになっていて、機能性を重視した当時のスタイルを感じさせる造り。さまざまな時代の家具や友だちから贈られたアート作品が、シンプルな空間にうまく溶け込んでいます。

左：キッチンのダイニングテーブルのそばには、ママがペイントした絵画を飾って。シーリちゃんは光の入る窓辺で読書中。右上：リニューアルしたばかりのニュース形式のサイト「ブロードシート」で新しい情報を発信するのを楽しみにしているパパとママ。右下：イタリアのフローレンスみやげのトレーたち。

左上：おばあちゃんのコテージから引き取ってきたキッチン棚には、さまざまな国で買ってきた調味料が並びます。右上：「私が大人になったら、マスカラをするの」というシーリちゃんのお絵描き。左中：日本でハンドメイドで作られた布地を使った一点物の子ども服と、ユーモラスなサイ型のネックレス。左下：中南米の鳥トゥカンをかたどったバッグ。右下：パパとママの友人が描いた大判の絵画を寝室に。

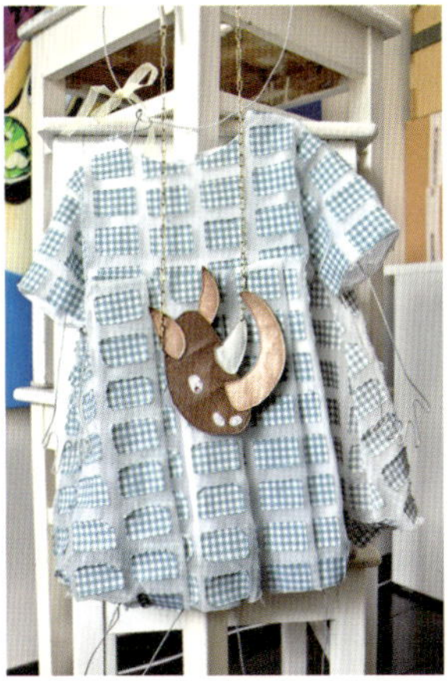

左上：玄関ホールとダイニングキッチンのあいだの通路にある、シーリちゃんのコーナー。壁には家族や友だちなど、大切な人々の写真が飾られています。右上：マイアミみやげのランプシェード。右中：シーリちゃんが3か月のときのベビー服を着せたお人形。左下：宝物はお友だちと作って交換したビーズのアクセサリー。右下：パパが子どものころから使っていたバスタオルをベッドに。

玄関ホールの正面にある暖炉が、お客さまをあたたかく迎えてくれます。
この右手がダイニングキッチンで、左手が寝室というT字型の間取り。

Jonna and Marko Vuokola

ジョナ＆マルコ・ヴォコラ
journalist and photographer, artist

Valo, Vilja and Helvi

ヴァロ＆ヴィリヤ＆ヘルヴィ
1 boy and 2 girls / 7 and 2 years old twins

ユーモアたっぷり、お兄ちゃんのヴァロくん。
そしてふたごの妹、ヴィリヤちゃんとヘルヴィちゃん。
ヴィリヤちゃんは、おしゃべり大好きで好奇心旺盛。
ヘルヴィちゃんは、まわりの様子を見て行動する慎重派。
ふたごだけれど、キャラクターはそれぞれのよう。
家族みんなのお楽しみは、音楽とダンス！
子どもたち3人でヒップホップ・ショーを作って
パパとママに、見せてくれるのだそう。
パパはヴァロくんに楽器の演奏を教えています。

THE BODY
Culinaria

緑の庭に白い一軒家、モダンな北欧ドールハウス

ヘルシンキの市街地から北へ6キロほど、メッツァラには家族向けの住まいがたくさん並んでいます。ヴオコラ家が暮らす2階建ての白い一軒家は、ジャーナリストのジョナさん、写真家でアーティストとして活躍するマルコさんさんと3人の子どもたち、そしてジョナさんの両親とフロアをシェアする二世帯住宅。ご両親の友人で建築家のユッシさんがデザインした家は、たくさんの光、広々としたスペース、機能的なキッチンが魅力的。家具はリサイクルのものが多いというママ。カバーリングを替えたり、修理をするのはパパの役目です。

上：家のうしろにある庭では、サッカーのゲームがスタート。左下：ヘルヴィちゃんは、砂あそび中。キッチンで使わなくなった調理道具で、おままごとをするのがお気に入り。右下：9歳になるラブラドールレトリバーのテルマは、子どもたちのお姉さん。サッカーのルールも覚えていてゴールを狙うのだそう。

左上：キッチンには「アラビア」のムーミン・マグが並びます。右上：音楽を楽しむほか、サウナによく出かけるという一家。左下：玄関近くにある、ヴァロくんの部屋。壁にはパパが10代のときに描いた絵を飾って。右中：ヴィリヤちゃんがはいたお兄ちゃんのルームシューズは、フィンランドの伝統的なもの。右下：イスの上には、おじさんからプレゼントされたウクレレとパパの作品集。

リビングの続きにある、ヴィリヤちゃんとヘルヴィちゃんの部屋。裏庭に
面した窓がいくつもあるので、いつも明るい日ざしにあふれています。

左上：壁に飾った絵画はパパの作品。洋服ダンスには、色違いでお揃いの「マリメッコ」のドレスを並べて。右上：お気に入りの洋服とバッグ。ピンクの小さなドレスは生まれたばかりのときに着ていたもの。右中：女の子たちがかわいがっている、うさぎのぬいぐるみ。左下：「フィッシャー・プライス」のおままごとキッチン。右下：お絵描きが好きなふたりは、仲よくデスクに向かいます。

Laura Riihelä and Timo Hämäläinen

ローラ・リーヘロー＆ティーモ・ハマライネン

photographer and art director

Elias and Aatos

エリアス＆アアトス

2 boys / 11 and 2 years old

パパとママは、50年代スタイルのインテリアが好き。
当時の家具や色使いを、住まいの中に取り入れています。
コミュニティの中心にある、小さなコテージは
リサイクル・センターになっているのだそう。
シュタイナー教育の学校に通う、エリアスくん。
インテリア・デザインに、興味を持ちはじめていて、
センターから、フィンランドのデザイナー
タピオヴァーラのイスを見つけ出したことも！
家族の思い出コレクションが、家を美しく飾ります。

左上：アアトスくんが座るテーブル付きのイスは、ひっくり返すとハイチェアに変身。左中：キューブ・パズルを入れて手押し車でリビングに運ぶところから、遊びがはじまります。右上：ダイニングテーブルとベンチは、イルマリ・タピオヴァーラの作。フィンランドでポピュラーな「アフリカ」というボードゲームを楽しんで。左下：家族みんなのお気に入り「アラビア」のムーミン・ピッチャー。

カラフルでチャーミングな50's スタイルの家

フード・フォトグラファーとして活躍するローラさんと、広告会社のアートディレクター、ティーモさん。家族が暮らすマウヌラは、ヘルシンキが町として成長した50年代から70年代にかけて、たくさんの家が建てられた地区。当時の有名な建築家エーケルンドやレヴェルによる建物が多く見かけられます。1951年築のこの一軒家もヒルディング・エーケルンドの設計。地下にサウナ、1階にはエリアスくんの部屋、中2階にアアトスくんの部屋とパパとママの寝室、2階にキッチン＆リビング、そして屋根裏が仕事部屋という間取りになっています。

左：キッチンは以前、住んでいたアパートメントにあった50年代のものを引き取って設置。典型的な50年代のライトブルーにペイントしました。右上：ハート型パンケーキ用の型と、パパの両親から譲り受けたタピオ・ウィルカラの鍋。右下：イルマリ・タピオヴァーラの「ピルッカ・スツール」。

左上：毎週金曜日はサウナの日。そのあと子どもたちはコーラを、パパとママはビールを楽しむのだそう。右上：カルダモンがアクセントになったフィンランドの伝統的なパン。左中：芸術分野のカリキュラムが充実している学校で、エリアスくんが作った刺しゅう。左下：クッションは色、素材さまざまなタイプをミックス。右下：50年代スウェーデン生まれの「ストリング・シェルフ」にキッチングッズを収納。

アアトスくんの部屋は、ママの好きな色、明るいイエローをたっぷり使って。
カラフルなおもちゃや雑貨なら出しっ放しでも、キュートなアクセントに。

左上：スウェーデンのマリー＝ルイーズ・グスタフソンがデザインしたバスケットに、絵本を入れて。右上：やさしい夢の世界へ連れて行ってくれる小さな友だち。左中：イラストが気に入っているヴィンテージのナイトランプ。左下：のみの市での掘り出し物のおもちゃ。右下：棚にずらりと並べたアアトスくんのおもちゃは、パパとママ、そしてお兄ちゃんから譲り受けたものばかり。

屋根裏にあるパパとママの仕事コーナーから、リビングを見下ろして。さまざまな色やモチーフをちりばめることが、くつろぎの雰囲気づくりの秘けつ。

Helsinki Guide

ヘルシンキは、入り組んだ海岸沿いにある美しい港町。大きな通りや公園も多く、コンパクトにまとまった街はお散歩にぴったり。歩き疲れたら、街中でよく見かけるトラムに乗れば、また違った風景が楽しめます。このガイドでは、アーティスト家族のみなさんに教えてもらった、子どもと一緒のおでかけスポットや、デザイン好きにおすすめの場所を紹介します。

Market

マーケット広場

Kauppatori

Eteläsatama, Helsinki

海岸沿いに並ぶテントの下には、色とりどりの野菜や果物、とれたばかりのお魚に、ホームメイドのお菓子、そしておみやげにぴったりのハンドクラフト雑貨まで。「カウッパトリ」と呼ばれるマーケット広場は、ヘルシンキの人たちの暮らしを支える台所。そのにぎわいに、歩くだけでワクワクしてきます。

オールド・マーケット・ホール

Wanha Kauppahalli

Eteläranta
www.wanhakauppahalli.com

マーケット広場から港に沿って歩くと見えてくる、れんが建ての美しい建物が1889年築という歴史あるオールド・マーケット・ホール。中へ入ると２本の通路があり、その両脇に食料品店やカフェ、フードスタンドがずらり。ラップランドからやってきたお肉屋さんなど、めずらしい食材にも出会えます。

国立現代美術館キアズマ

Museum of Contemporary Art Kiasma

Mannerheiminaukio 2
www.kiasma.fi

キアズマは、フィンランドでもっとも人気のある現代美術ミュージアム。アメリカの建築家スティーブン・ホールが設計した建物の中へと入るだけでも、現代アートが感じられます。1階にはユニークなセレクトのミュージアムショップと、野菜がたっぷりとれるビュッフェランチが大人気のカフェも。

アテネウム美術館

Ateneum Art Museum

Kaivokatu 2
www.ateneum.fi

ヘルシンキ中央駅そばにある、アテネウム美術館は国営ミュージアムのひとつ。19世紀中ごろに広まったフィンランドらしさを求める運動のひとつとして、それまでは分散していたフィンランドの芸術作品を一堂に集めた美術館です。ゆったりとした建物の中、美術史に残る作品を鑑賞できます。

デザイン・ミュージアム

Design Museum

Korkeavuorenkatu 23
www.designmuseum.fi

フィンランド・デザインの歩みを感じることができるミュージアム。企画展のほか、常設展では家具や家電製品、食器など暮らしに身近なデザインもたくさん飾られています。1階にはカフェ・ムオトと、フィンランドのデザイナーたちの作品と出会えるミュージアムショップが併設されています。

Marimekko

マリメッコ

Marimekko

Kämp Gallery,
Pohjoisesplanadi 31
www.marimekko.fi

カラフルでキュートなテキスタイルが人気の「マリメッコ」は、フィンランドを代表するブランド。才能あふれるフレッシュなデザイナーとともに、インテリアからファッションまで魅力的なアイテムを発表しています。ヘルシンキのメインストリート、エスプラナーディ通り沿いのショッピングセンター、カンプ・ギャラリーの中のブティックをご案内します。

左：通り沿いの入り口を入ると、そこはファッションのフロア。カラフルに着飾ったマネキンたちがお出迎え。中：この本にも登場したマイヤ・ロウエカリさんのデザイン「キッピス」柄をプリントしたお財布。右：素敵な写真がいっぱいのフリーペーパー。

左：階段で半地下へ降りると、キッズ・コーナー。ヘルシンキの子どもたちも愛用していたミニ・トランクも。中：キュートなデザインの哺乳瓶は、食器洗い機や電子レンジの使用もOK。右：ビニールコーティングされたスタイは、お手入れも簡単。

左：厳しいクオリティ検査で、惜しくもシルバーメダルとなった布地を使ったエコバッグはおみやげとして人気。中：食器をはじめインテリア雑貨は、エスカレーターを降りた地階に。右：こちらもマイヤさんがパレードを描いた「クルクエ」柄のアイテム。

左：カウンターの上に広げた布地は、市民菜園を意味する「シイルトラプータルハ」柄。デザインにそれぞれ名前がついているところがポエティック。右：地階奥のコーナーでは、ファブリックを計り売り。

イッタラ

iittala

Pohjoisesplanadi 25
www.iittala.fi

エスプラナーディ通り沿いにあるコンセプトショップでは、ガラス製品の「イッタラ」はもちろん、グループ・ブランドの「アラビア」の陶磁器、「ハックマン」のキッチングッズが揃います。シンプルで機能的な「イッタラ」のアイテムは、毎日の暮らしのためにデザインされたものばかりです。

左：「イッタラ」と「マリメッコ」のコラボレーション・アイテム、マリボウル。中：1969年にビルガー・カイピアイネンがデザインした「アラビア」のパラティッシ・シリーズ。右：ムーミンのアドベンチャー・シリーズ。

左：「バード by オイヴァ・トイッカ」のふくろう。中：定番のキャンドルホルダー「キヴィ」。右：カウンターうしろでは、カイ・フランクによる色とりどりのタンブラーがバックライトを受けて、美しく輝きます。

アラビア・ミュージアム＆ギャラリー

Arabia Museum and Gallery

Hämeentie 135
www.arabianmuseo.fi

ヘルシンキ郊外にあるアラビア・ファクトリーの9階にあるのが、ミュージアム＆ギャラリー。いまでも定番として残っているデザインをはじめ、プリントの原画、アーティスティックな一点物などの貴重なコレクションも。1874年に陶磁器づくりをスタートさせた「アラビア」の歴史を感じる空間です。

イッタラ・アウトレット

iittala Outlet

Arabiakeskus, Hämeentie 135
www.iittalaoutlet.fi

アラビア・ファクトリーの1階にある、アウトレット・ショップ。イッタラ・グループのアイテムが、お手ごろな価格で手に入るということで、地元の人たちはもちろん、ツーリストたちにも人気のスポット。帰国時のスーツケースの中身と相談して、掘り出し物探し気分でショッピングを楽しんで。

For Children

ムーミン・ショップ・フォーラム

Moomin Shop Forum

Mannerheimintie 20, 2nd floor
www.moomin.com

ショッピングセンター「フォーラム」の2階にあるムーミン・ショップでは、トーヴェ・ヤンソンが生んだファニーでキュートなキャラクターたちと出会うことができます。ぬいぐるみ、絵本、Tシャツ、マグネット、お菓子まで！ショッピング・バッグにも、もちろんムーミンです。

プナヴオレン・ペイッコ

Punavuoren Peikko

Uudenmaankatu 15
www.punavuorenpeikko.fi

店名の「プナヴオレン・ペイッコ」とは、フィンランド語で「赤い山のトロール」という意味。フィンランドのブランドをはじめ、北欧のかわいい子ども服や雑貨をセレクトしたブティックです。カラフルでプリント柄がユニークな洋服が多く、北欧デザインのコーディネートが楽しめそう。

パンプキン

Pumpkin

Eerikinkatu 1
www.pumpkin.fi

デザイン・ディストリクトと呼ばれる、デザイン好きのためのショップが集まるエリアに、フィンランド・メイドの子ども服ブランド「aarrekid」が立ち上げたブティック。イラストレーターとコラボレーションした、グラフィックが魅力的。60センチから140センチまでのサイズが揃います。

アカデミア書店

Akateeminen Kirjakauppa

Keskuskatu 1
www.akateeminen.com

アルヴァ・アアルトがデザインしたことで有名なアカデミア書店は、ヘルシンキでもっとも大きく、よく知られている本屋さん。吹き抜けになった店内に、天窓から太陽の光がやさしく差しこみます。絵本や児童書、アート本に写真集などのビジュアルブックも充実。2階のカフェ・アアルトにもぜひ立ち寄って。

ホボックス

Hobbboks

Korkeavuorenkatu 45
www.hobbboks.com

インテリアや料理、手づくり、デザイン、ガーデニングなど暮らしまわりをテーマにした書籍をセレクトした本屋さん、ホボックス。オーナーのヴィルヴェさんをはじめ、スタッフがとてもフレンドリーにサポートしてくれます。店内奥にはソファーもあるので、リラックスして本を探すことができます。

ナパ・ブックス ギャラリー・ショップ

Napa Books, Gallery/Shop

Eerikinkatu 18
www.napabooks.com

アート本の出版社である「ナパ・ブックス」のオーナーは、自らもアーティストとして活動するイェンニ・ロペさん。ギャラリー・ショップでは、イラストや写真などの展示会が開かれるほか、本やデザイン雑貨が並びます。コンペティションから生まれた、アーティスティックなフリップブックはおみやげにぴったり。

サッマッコ

Sammakko

Eerikinkatu 7
www.sammakko.com

フィンランド第三の都市、トゥルクで生まれた出版社「サッマッコ」。子ども向けの本、詩集、コミックなどを新鮮なグラフィック・デザインで発表しています。そのラインナップがヘルシンキですべて揃うショップがここ。フィンランド語で「カエル」という意味の社名にちなんで、カエルをあしらったグッズも。

Design Forum

Design Forum Finland《デザイン・フォーラム・フィンランド》

Erottaja 7
www.designforum.fi

フィンランド・デザインのプロモーションを手がけるデザイン・フォーラム・フィンランド。デザイン・ディストリクトの中心に位置するショップには、ハンドクラフトから、ファッション、インテリアなど、あらゆる分野で活躍するフィンランドのデザイナーによる商品がずらり。まさにデザイン好きのための場所です。

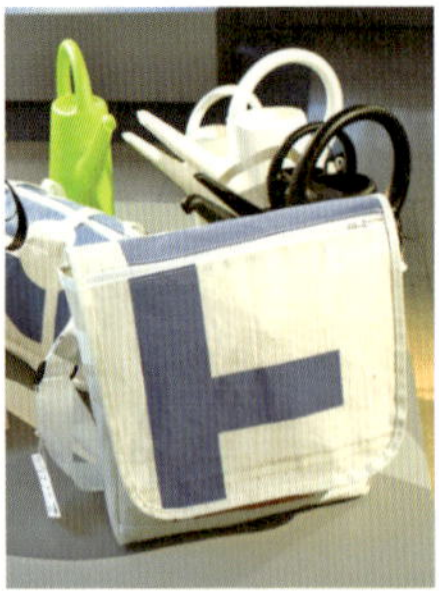

左：大きく取られたショーウィンドウに飾られたデザイン・オブジェに、通りを行く人たちも注目。入り口近くには、カフェもあります。中：ふたりの女性によるデザイン・ユニット「Muovo」のドッグベッド。右：船の帆をリサイクルしたバッグ。

左：アンネ・パソによる「ロヴィ・ツリー」と「ロヴィ・バード」。中：この本にも登場してくれたエリナ・アアルトさんのロールカーテン。右：ギャラリーでは、エリナさんも所属する2010年のヤング・デザイナー賞に輝いた「IMU」の作品を展示中。

モコ
Moko
Perämiehenkatu 10
www.moko.fi

家具をはじめ、テーブルウェアや雑貨、洋服、本などを扱うインテリアショップ「モコ」。赤いれんが造りの倉庫のような広々とした空間の中には、子どもたちが遊べる小屋も。店内奥にはカフェ・スペースがあり、ティータイムはもちろん、スープなどの軽食も楽しむことができます。

フォルムヴェルク
Formverk
Annankatu 5
www.formverk.fi

ヘルシンキのデザイン家具ファンに人気の家具屋さん、フォルムヴェルク。オーナーは家具デザイナーのケネス・ヴィクストロームさん。オリジナル・デザインの家具のほか、「フリッツ・ハンセン」や「カルテル」「マジス」など、世界中からセレクトされた魅力的なデザインの家具が集まるお店です。

タペッティッタロ
Tapettitalo
Fleminginkatu 4
www.tapettitalo.fi

フィンランド語で「壁紙屋さん」という、その名前のとおり20世紀のフィンランド＆北欧デザイナーによる壁紙を扱うショップ。昔ながらの手法でハンドプリントされたユニークな柄も多く、その種類は2000以上！ 1巻10または11メートルのロールで販売。まるで壁紙のミュージアムのような空間です。

スオメンリンナ・トイミュージアム

Suomenlinnan Lelumuseo

Suomenlinna C 66
www.lelumuseo.fi

世界遺産の島スオメンリンナは、カウッパトリ港から船で15分ほど。美しい公園のような島は、ヘルシンキの人たちの憩いの場所。その島に陶芸家のピーッパさんによる、すばらしいおもちゃコレクションが集められたプライベートミュージアムがあります。ストーリー性豊かな展示が楽しい空間。カフェも併設！

ウーニサーリ・ビーチ

Uunisaari Beach

www.uunisaari.com

ヘルシンキの人たちにとっていちばん身近なリゾート、ウーニサーリ島。カイヴォプイスト公園近くのメリサタマ港からボードで3分。夏になると、砂浜で日焼けを楽しんだり海で泳いだり。冬には海が凍るので、島まで歩いて渡れるのだそう。かもめをはじめ、海鳥たちのパラダイスでもあります。

Bali-Hai《バリ-ハイ》

Iso-Roobertinkatu 35-37
www.balihai.fi

黒と白のフラッグチェックに敷き詰められたリノリウムの床が、どこかなつかしく、リラックスした雰囲気のカジュアルなレストラン。フィンランド料理のサーモンスープをはじめ、フィンランドの子どもたちが好きなパスタなど、シンプルなお料理を気軽に楽しむことができます。カフェとしての利用もOK。

Salutorget《サリュトリエット》

Pohjoisesplanadi 15
http://www.royalravintolat.com/salutorget/

マーケット広場や観光案内所近くにあるサリュトリエットは、お散歩の途中にひといきつきたいときにぴったりのカフェ。店内奥はバー、高級レストランになっています。カフェではフィンランドの伝統的なペストリーやケーキがおすすめ。写真右は、たまごをのせていただくパイ、カルヤランピーラッカ。

KuuKuu《クークー》

Museokatu 17
www.kuukuu.info

トラディショナルなフィンランド料理を楽しめるレストラン。フィンランド・デザインが多く取り入れられたモダンなインテリアの中、ミートボールや魚料理など、フィンランドの家庭の味が楽しめます。ピクルスには、サワークリームとはちみつがついてくるので、お好みで一緒にめしあがれ。

Eat & Joy Maatilatori《イート＆ジョイ・マーティラトリ》

Mannerheimintie 22-24

ヘルシンキのメインストリートのひとつ、マンネルヘイミン通り沿いにあるイート＆ジョイ・マーティラトリは、地元でとれた作物を使ったファーマーズ・マーケット・ショップ。チーズに、スモークサーモンやキャビア、野生のトナカイ、ライ麦パン、チョコレートなどオーガニック食材が並びます。

The editorial team

édition PAUMES

Photograph : Hisashi Tokuyoshi

Design : Kei Yamazaki, Megumi Mori

Illustrations : Kei Yamazaki

Text : Coco Tashima

Coordination : Anna Varakas

Editorial advisor : Fumie Shimoji

Editor : Coco Tashima

Art direction : Hisashi Tokuyoshi

Contact : info@paumes.com www.paumes.com

Printer : Makoto Printing System

Distribution : Shufunotomosha

We would like to thank all the artists that contributed to this book.

édition PAUMES ジュウ・ドゥ・ポゥム

ジュウ・ドゥ・ポゥムは、フランスをはじめ海外のアーティストたちの日本での活動をプロデュースするエージェントとしてスタートしました。
魅力的なアーティストたちのことを、より広く知ってもらいたいという思いから、クリエーションシリーズ、ガイドシリーズといった数多くの書籍を手がけています。近著には「ロンドンのファミリースタイル」「パリ おしゃれガールズ スタイル」などがあります。ジュウ・ドゥ・ポゥムの詳しい情報は、www.paumes.comをご覧ください。

また、アーティストの作品に直接触れてもらうスペースとして生まれた「ギャラリー・ドゥー・ディマンシュ」は、インテリア雑貨や絵本、アクセサリーなど、アーティストの作品をセレクトしたギャラリーショップ。ギャラリースペースで行われる展示会も、さまざまなアーティストとの出会いの場として好評です。ショップの情報は、www.2dimanche.comをご覧ください。

Visit Finland thanks to Visit Finland www.visitfinland.com

Finland Family Style
フィンランドのファミリースタイル

2010年　11月20日　初版第　1刷発行
2014年　 5月10日　　　 第　2刷発行

著者：ジュウ・ドゥ・ポゥム

発行人：徳吉 久、下地 文恵
発行所：有限会社ジュウ・ドゥ・ポゥム
〒150-0001 東京都渋谷区神宮前3-5-6
編集部 TEL / 03-5413-5541
www.paumes.com

発売元：株式会社 主婦の友社
〒101-8911 東京都千代田区神田駿河台2-9
販売部 TEL / 03-5280-7551

印刷製本：マコト印刷株式会社

ISBN978-4-07-274861-9

ジュウ・ドゥ・ポゥムのクリエーションシリーズ

家族の笑顔あふれる、ロンドンの家と暮らし

London Family Style

ロンドンのファミリースタイル

著者：ジュウ・ドゥ・ポゥム
ISBNコード：978-4-07-274849-7
判型：A5・本文 128 ページ・オールカラー
本体価格：1,800円（税別）

ベルギー3都市に暮らすアーティストファミリー

Belgium Family Style

ベルギーのファミリースタイル

著者：ジュウ・ドゥ・ポゥム
ISBNコード：978-4-07-273956-3
判型：A5・本文 128 ページ・オールカラー
本体価格：1,800円（税別）

子どもたちと過ごす楽しい時間とインテリア

Paris Family Style

パリのファミリースタイル

著者：ジュウ・ドゥ・ポゥム
ISBNコード：978-4-07-271555-0
判型：A5・本文 128 ページ・オールカラー
本体価格：1,800円（税別）

キュートなインテリアのアイデアがいっぱい

chambres d'enfants à Paris

ようこそパリの子ども部屋

著者：ジュウ・ドゥ・ポゥム
ISBNコード：978-4-07-248674-0
判型：A5・本文 128 ページ・オールカラー
本体価格：1,800円（税別）

パパとママの愛情がたっぷり込められた空間

children's rooms "Stockholm"

ストックホルムの子ども部屋

著者：ジュウ・ドゥ・ポゥム
ISBNコード：978-4-07-250139-9
判型：A5・本文 128 ページ・オールカラー
本体価格：1,800円（税別）

おとぎ話の町に暮らす、22人の子どもたち

children's rooms "Copenhagen"

北欧コペンハーゲンの子ども部屋

著者：ジュウ・ドゥ・ポゥム
ISBNコード：978-4-07-263930-6
判型：A5・本文 128 ページ・オールカラー
本体価格：1,800円（税別）

www.paumes.com

ご注文はお近くの書店、または主婦の友社コールセンター(049-259-1236)まで。
主婦の友社ホームページ(http://www.shufunotomo.co.jp/)からもお申込できます。